Die juristische Staatsprüfung

Eine Anleitung für Referendare

von

Theodor von der Pfordten
Weiland Oberstlandesgerichtsrat

In vierter Auflage neu bearbeitet

von

J. Hümmer
Oberstlandesgerichtsrat

München 1930
J. Schweitzer Verlag (Arthur Sellier)

Die juristische Staatsprüfung

Eine Anleitung für Referendare

von

Theodor von der Pfordten
Weiland Oberstlandesgerichtsrat

In vierter Auflage neu bearbeitet

von

J. Hümmer
Oberstlandesgerichtsrat

München 1930
J. Schweitzer Verlag (Arthur Sellier.)

Vorwort.

Die dritte, 1911 erschienene Auflage ist längst vergriffen. Der ehrenden Aufforderung des Verlages entsprechend habe ich die Neubearbeitung übernommen. Möge das Büchlein in dem neuen Gewand eine ebenso günstige Aufnahme finden wie früher!

München, im April 1930.

J. Hümmer.

Druck von Dr. F. P. Datterer & Cie., Freising-München

Inhaltsverzeichnis.

§ 1. Einleitung.

Sofort nach der Universitätsschlußprüfung tritt für den jungen Juristen die Staatsprüfung in den Vordergrund des Interesses. Die Erwartung, mit der er der zweiten, letzten und schwierigsten Prüfung entgegensieht, steigt mit jedem Jahre des Vorbereitungsdienstes, bis schließlich an ihre Stelle ein Gefühl der Beunruhigung und Beängstigung tritt. Der Gedanke, daß die Entscheidung über eine Lebensfrage bevorsteht, daß ein ungünstiges Ergebnis die ganze fernere Laufbahn stören, wenn nicht angesichts des unheimlichen Wettbewerbs völlig zerstören kann, hat wenig Anheimelndes. Die Erfolge älterer Kollegen, von denen man hört, tragen meistens nicht dazu bei, das Selbstvertrauen des Referendars zu stärken. In jedem Jahre erhalten zahlreiche junge Leute, die ihre Zeit auf der Universität und während des Vorbereitungsdienstes gewissenhaft ausgenützt, sich in diesem anstellig und gewandt, in wissenschaftlichen Arbeiten wohl unterrichtet erwiesen haben, in der Staatsprüfung Noten, die den berechtigten Erwartungen nicht entsprechen. Mit großem Eifer bereitet sich die Mehrzahl der Prüflinge vor, öffentliche und private Kurse sorgen für die wissenschaftliche und private Fortbildung, Hilfsmittel des Schrifttums stehen in Menge zu Gebote und werden fleißig benützt. Gleichwohl wird die Zahl derer nicht geringer, die zur eigenen Enttäuschung und zur Verwunderung ihres Bekanntenkreises einen sehr bescheidenen Platz in der Reihe erringen, deren Erfolge dem Aufwand an Zeit, Anstrengung und Geldmitteln nicht entsprechen. Kein Wunder, daß zuweilen eine starke Aufregung zu Tage tritt. Seit dem Weltkriege und der anschließenden Inflationszeit sind die Aussichten des juristischen Nachwuchses auf Erlangung einer Lebensstellung, zumal im öffentlichen Dienste, recht trüb geworden. Trotzdem nimmt die Zahl der Rechtsbeflissenen ungeachtet wiederholter amtlicher Warnungen vor dem juristischen Studium immer noch zu. Ein ungünstiges Ergebnis in der Staatsprüfung wirkt für viele, namentlich die große Zahl der Minderbemittelten, geradezu verhängnisvoll; dies besonders um deswillen, weil der Staat wegen seines geringen Bedarfs an Anwärtern nur noch die Bestbenoteten aufnimmt. Die Aussichten verdüstern sich noch dadurch, daß mit dem zu erwartenden Beamtenabbau die vorhandenen Stellen eine weitere Einschränkung erfahren werden. Durch die Zulassung der Frauen zu allen Berufen, welche die juristische Vorbildung voraussetzen, ist der Konkurrenzkampf der Männer nur um so erbitterter geworden.

Das heiße Bemühen, in das „Kontingent" hineinzukommen, treibt immer mehr Prüflinge an, ihre Note durch Wiederholung der Prüfung zu verbessern zu suchen. Gelingt diese Absicht nicht, so macht sich die Erbitterung hierüber nicht selten in gereizten Angriffen auf die Prüfungseinrichtungen und die Staatsverwaltung Luft.

Heutzutage organisiert sich alles und schon vor dem Kriege haben sich gleich anderen Interessentengruppen auch die bayerischen Rechtspraktikanten zu einer Standesvertretung zusammengeschlossen. Diese — nun Referendarverein genannt — hat schon manch beachtenswerten Erfolg errungen und kann gegenwärtig, da nur organisierte Standesvertretungen Aussicht haben, die Belange der Einzelnen wirksam zu verteidigen, kaum mehr entbehrt werden. Diese greifen dabei in geschlossener Masse, gestützt auf das Gesetz der großen Zahl, in den Kampf der Meinungen ein, um die gemeinsamen Interessen vor der breiten Öffentlichkeit zu vertreten. Die eifrige Teilnahme an solcher Arbeit hat auch ihren Nutzen: sie erweitert den Gesichtskreis, schärft den Blick für die großen Zeitfragen und bewahrt vor schrullenhafter Einseitigkeit. Sie kann aber auch schädliche Nebenwirkungen haben. Die innere Erregung, die der Kampf um gemeinsame Ziele in jedem Mitstreiter entzündet, läßt ihn vielleicht die schlichten Forderungen des Tages vergessen und übersehen, daß im Grunde genommen doch jeder des eigenen Glückes Schmied ist.

Man mutet dem Referendar nicht zu sich des Rechts der Kritik zu begeben und ein urteilsloser Verehrer des Bestehenden zu werden, wenn man ihm den Rat gibt, er möge die einmal vorhandenen Schwierigkeiten ruhig ins Auge fassen und mit kraftvollem Entschluß den Pfad suchen, der zu ihrer Überwindung führt, statt sich einer lähmenden Unzufriedenheit hinzugeben. Wertvoller als die billige Erkenntnis, daß die Prüfungseinrichtungen unvollkommen sind wie alles Menschenwerk, ist es sich die Frage vorzulegen: Was wird in der zweiten Prüfung von mir verlangt und wie setze ich mich in den Stand, ihren Anforderungen zu genügen? In der Tat wird wohl ein großer Teil der befremdenden Mißerfolge darauf zurückzuführen sein, daß viele die Eigentümlichkeiten der Staatsprüfung nicht genügend beachten und bei der Ausbildung einen falschen Weg einschlagen, oder gar plan- und ziellos hin und her schwankend die Kräfte in unnützen Einzelleistungen verzetteln. Sie dürfen sich nicht beklagen, wenn dann vielleicht der weniger Fleißige die Siegespalme davonträgt, der sich nur mäßig angestrengt, aber mit glücklichem Griffe das Rechte gefunden hat.

Diese Schrift soll als Wegweiser dienen. Über die Richtigkeit und die Durchführbarkeit der einzelnen Vorschläge kann man streiten, es wäre auch niemandem zu raten, daß er sie unbesehen annimmt. Der Einzelne muß selbst herausfinden, was seinen Anlagen und seinen persönlichen Verhältnissen entspricht. Die Anleitung wird ihren Zweck schon erfüllt haben, wenn sie den Leser nachdenklich stimmt und ihn lockt einmal von einer höheren Warte aus die bunte Fülle wechselnder Bilder zu betrachten, die in dem Zeitraum zwischen der ersten und der zweiten Prüfung an ihm vorüberziehen.

§ 2. Die Anforderungen der Staatsprüfung.

Man urteilt heutzutage nicht immer günstig über die Prüfungen. Man findet — und nicht ganz mit Unrecht —, daß sie den Blick von der Sache selbst auf die Äußerlichkeiten ablenken und daß sie den Bildungsgang des Einzelnen in allzu enge Grenzen bannen. Diese unerwünschten Wirkungen werden um so schärfer hervortreten, je mehr bei einer Prüfung Gewicht auf den Besitz von Einzel-Kenntnissen gelegt wird; sie werden sich weniger oder gar nicht fühlbar machen, wenn eine Prüfung einen Zug ins Große hat. Von diesem Standpunkt aus betrachtet wird die bayerische Staatsprüfung als eine gut eingerichtete Prüfung bezeichnet werden dürfen. Sie hat sehr geringe Ähnlichkeit mit der Universitäts-Schlußprüfung, in der der Kandidat ein bestimmtes Mindestmaß von Kenntnissen nachweisen, bestimmte Fragen aus einem durch den Inhalt der Vorlesungen abgegrenzten Gebiete beantworten soll. Die Staatsprüfung verlangt viel mehr und viel Höheres, eben deshalb läßt sie aber auch der Ausbildung viel mehr Freiheit und Selbstbestimmung: sie ist eine Prüfung des Könnens, der Urteilskraft und der Schlagfertigkeit. Sie soll zeigen, ob der Geprüfte seiner ganzen Persönlichkeit nach den schweren Aufgaben des praktischen Lebens gewachsen, ob er zu selbständiger Arbeit befähigt ist.

Zwar ist der Rechtsstoff, aus dem die einzelnen Aufgaben zu wählen sind, nachdem die Begünstigungen der Nachkriegszeit mit dem Ablaufe des Jahres 1928 ihr Ende gefunden haben, durch § 91 der MB. vom 1. April 1925, GBBl. S. 110 ff., gegenüber dem früheren Zustand erheblich eingeschränkt; immerhin aber ist er an Umfang noch so gewaltig, daß ihn auch der Begabteste und Fleißigste nicht in allen seinen Teilen gleichmäßig beherrschen kann. Wenn er versuchen wollte sich ein Wissen anzueignen, vermöge dessen er alle nur denkbaren Fragen sofort richtig beantworten und alle Schwierigkeiten auflösen könnte, würde er alsbald einsehen müssen, daß er sich eine Aufgabe gestellt hat, deren Bewältigung die Kräfte eines Menschen weit übersteigt. Ist doch heutzutage jeder Zweig der Rechtswissenschaft so vertieft und nach allen Seiten hin ausgebildet, daß eine genaue Fachkenntnis nur durch die Arbeit eines Lebensalters erworben werden kann. Wer möchte sich z. B. rühmen, daß er auch nur das BGB. von Grund aus beherrscht und versteht? Oder man denke an die verwickelten, in der eigenartigsten Weise ineinandergreifenden Vorschriften des öffentlichen Versicherungsrechts, in denen sich mühelos und sicher nur zurechtfinden kann, wer sich jahrelang wissenschaftlich und praktisch mit diesem Fache beschäftigt hat. Das wird häufig übersehen, besonders am Anfang des Vorbereitungsdienstes. Man versucht mit Auswendiglernen und Einprägen, mit dem Durchlesen und Ausschreiben dicker Bücher weiterzukommen, wie man das früher gewohnt war. Und erst, wenn man schon kostbare Zeit nutzlos vergeudet hat, erkennt man, daß es nicht das Ziel der Vorbereitung sein kann, ein gleichmäßig gründliches Wissen auf allen den Gegenstand der Staatsprüfung bildenden Rechtsgebieten zu erwerben, sondern daß man nach der Fähigkeit streben muß in kürzester Zeit Brauchbares auch da zu leisten, wo man weniger bewandert und geübt ist.

Das moderne Rechtsleben stellt den praktischen Juristen fast täglich vor Fragen, über die er sich bisher noch niemals Rechenschaft gegeben hat und die er doch sofort entscheiden soll ohne sich gemächlich Zeit lassen zu können. Mit Fug und Recht bringt deshalb auch die zweite Prüfung in jedem Jahre neue Aufgaben in immer wechselnder Anordnung, die binnen kürzester Frist, binnen weniger Stunden gelöst werden sollen. Sie nimmt keine Rücksicht darauf, ob dem Prüfling Ähnliches schon untergekommen ist, und kann es auch bei der Verschiedenartigkeit des Bildungsgangs der einzelnen nicht tun, will sie nicht nur die einfachsten Fragen des Alltagslebens berühren. Auch der Vielseitigste muß sich also auf teilweise Neues und Fremdartiges gefaßt machen. Deshalb ist ein gründliches Wissen wohl ein wertvolles Rüstzeug, aber das Ziel der Ausbildung darf es nicht werden und es ist weder das einzige noch das wichtigste Mittel, um der Schwierigkeiten Herr zu werden. Die Schulung der Geisteskraft, die Erwerbung der Fähigkeit auch das Unvorhergesehene rasch zu erfassen sind wichtiger als die Kenntnis vieler einzelner Gesetze und Vorschriften. Der Überblick über die zu Gebote stehenden Hilfsmittel und die Kunst sie richtig zu gebrauchen, wiegen schwerer als die Belastung des Gedächtnisses mit zahlreichen Einzelheiten, die ebenso rasch vergessen werden, als sie gelernt wurden.

Man klagt darüber, daß der Prüfling in der Staatsprüfung allzu häufig vor verzwickte Rechtsfragen und vor Aufgaben gestellt werde, die man theoretisch überhaupt nicht befriedigend lösen könne, weil der Bearbeiter durch das Wirrsal widerstreitender Meinungen und Entscheidungen sich nicht hindurchzufinden vermöge. Es soll unerörtert bleiben, ob der Prozentsatz solcher Aufgaben überhaupt so groß ist, wie man gemeinhin annimmt. Denn jedenfalls wird man zugestehen müssen, daß eine Prüfung, die am Ende einer siebenjährigen Ausbildungszeit steht, sich nicht darauf beschränken kann nur zu erforschen, ob der Geprüfte sich an der Oberfläche der Rechtswissenschaft auskennt. Und es ist heutzutage auch nicht so ganz leicht „glatt aufgehende" Aufgaben zu erfinden. Die Meinungen darüber, was klar und unzweifelhaft sei, gehen oft weit auseinander. Man braucht nur einen Blick in die Kommentare zum BGB. und zu seinen Nebengesetzen zu werfen, um zu erkennen, daß nicht einmal Einigkeit über die einfachsten Grundfragen besteht und daß fast alle Sätze, die ein Autor mit guten Gründen vertritt, von einer Anzahl anderer mit ebenso guten Gründen verworfen und als gänzlich irrig abgelehnt werden. Gleichwohl muß der Richter im Einzelfalle eine feste Entscheidung liefern; er kann sich nicht darauf hinausreden, daß er beim theoretischen Nachdenken in ein Meer von Zweifeln gerate. Mit Recht bewegen sich deshalb auch die Aufgaben der zweiten Prüfung zuweilen auf umstrittenen Gebieten und verlangen, daß der Bearbeiter eine bestimmte, unzweideutige Antwort gebe. Mag sie nun richtig sein oder nicht, mag der Bearbeiter davon überzeugt sein, daß er anders nicht entscheiden könne, oder mag er sich sagen, daß er die Frage bei längerem Nachdenken vielleicht anders würde beantwortet haben — gleichviel, er muß seine Wahl treffen. Hat er herausgefunden, worauf es ankommt, und ist er entschlossen auf dem Wege weitergeschritten, der ihm der rechte zu sein schien, so braucht er die Zensur nicht zu fürchten. § 114 der MinV. vom 1. April 1925 besagt in Abs. 1 und 2:

„Bei der Würdigung der Arbeiten ist zu erforschen, ob und in welchem Grade der Referendar für den höheren Justiz- und Verwaltungsdienst geeignet ist.

Das ausschlaggebende Gewicht ist stets darauf zu legen, wie der Referendar seine Lösung begründet hat, welches Maß von Fähigkeiten und Kenntnissen, welches Verständnis, welchen Grad von Schärfe der Auffassung und von Unterscheidungsvermögen und welche Gewandtheit in der Entwicklung und Darstellung seiner Gedanken er gezeigt hat. Dies gilt insbesondere auch dann, wenn die Lösung des Referendars mit der des Unterausschusses nicht übereinstimmt oder wenn die Bearbeitung der Aufgabe nicht vollendet ist."

Hieraus ergibt sich, daß es weniger darauf ankommt, die unzweifelhaft richtige Lösung zu finden, als darauf, eine in sich einheitliche, wohlbegründete Entscheidung zu liefern.

Es wird nicht verlangt, daß man die Prüfungsaufgaben nach Art von Doktorarbeiten und Preisaufgaben behandle und etwa das Für und Wider sorgfältig zusammenstelle: Das eigene Urteil soll nicht in den Hintergrund treten.

Wenn auch nach der angeführten MB. die Nichtvollendung einer Aufgabe noch nicht ohne weiteres eine ungünstige Benotung nach sich zieht, so soll der Bearbeiter doch unter allen Umständen darnach streben zur Endlösung zu gelangen. Denn es macht auf den Beurteiler von vorneherein unwillkürlich einen ungünstigen Eindruck, wenn er sich einem Torso gegenüber sieht. Auch schützt die angebliche Gründlichkeit der Bearbeitung, welche gewöhnlich als Ursache der Nichtbeendigung der gestellten Aufgabe angegeben wird, keineswegs immer dagegen, daß nicht auch in dem bearbeiteten Teile Auslassungen und Lücken vorkommen.

Nach dem Ausgeführten wird die Staatsprüfung auch zu einer Prüfung des sittlichen Mutes, der sich nicht scheut der Möglichkeit anderer Anschauungen, anderer Beurteilungen ungeachtet die eigene Meinung auf eigenen Gründen aufzubauen und zu vertreten. Der Staat hat wenig Interesse daran zu erfahren, ob der Bewerber die Anschauungen anderer kennt und anführen kann — er will wissen, ob der Prüfling *selbst* zu einem Urteil über die ihm vorgelegten Fragen geeignet ist.

Die höchste und schwierigste Anforderung der Staatsprüfung ist schließlich die schneller Entschließung und rascher Darstellung; sie verlangt eine außergewöhnliche Anspannung aller Geisteskräfte. Schon die Länge einzelner Aufgaben läßt erkennen, daß ein gemächliches Arbeiten hier niemals zum Ziele führen kann, daß nur das Zusammenraffen aller Energie den Erfolg verbürgt. Nachdem die Erleichterungen, die die Nachkriegszeit gebracht hat, nunmehr endgültig der Vergangenheit angehören, nähern sich die Aufgaben an Schwierigkeit immer mehr den vor dem Kriege gestellten, wenn diese derzeit auch noch nicht ganz erreicht ist. Man hält sich darüber auf, daß zu viel auf einmal verlangt werde, übersieht aber dabei, daß auch die Praxis vom Beamten fortgesetzt raschen Entschluß in schwierigen Lagen fordert. Es ist also ganz in der Ordnung, daß man von den Bewerbern die Gewöhnung an schnelles aber doch andauerndes und gründliches Arbeiten, die Abgewöhnung aller Saumsal und halben Tätigkeit verlangt und daß man Aufgaben wählt, die den leistungsfähigen schlagfertigen Arbeiter von vornherein gegenüber dem schwerfälligen oder unschlüssigen Pedanten in Vorteil setzen.

Der kurze Überblick über die Eigentümlichkeiten der zweiten Prüfung hat uns gezeigt, daß der Besitz von Einzelkenntnissen, so schätzbar und unentbehrlich er sein mag, doch keine ausschlaggebende Bedeutung für den Ausfall der zweiten Prüfung hat, daß vielmehr die persönliche Leistungsfähigkeit — klarer Blick, rasches Zurechtfinden, fester Entschluß — den Erfolg verbürgt. Das Ziel der Ausbildung ist damit vorgezeichnet; der Wege, auf denen es erreicht werden kann, gibt es freilich viele: einer muß eben zielbewußt verfolgt werden.

In der alten Felddienstordnung fand sich (S. 17) der Satz: „Ein jeder . . . . muß sich stets bewußt sein, daß Unterlassen und Versäumnis ihn schwerer belasten, als ein Fehlgreifen in der Wahl der Mittel." An diesen Worten mag sich aufrichten, wer sich auf der Suche nach dem Wege zur richtigen Ausbildung von Unruhe beschlichen oder wer in der Prüfung selbst angesichts der aufeinander getürmten Schwierigkeiten den Mut sinken fühlt.

§ 3. Die Ausnützung des Vorbereitungsdienstes.

Die Klagen, daß der Vorbereitungsdienst für die Staatsprüfung nur wenig Wert besitze, sind althergebracht. Es verlohnt sich einmal genauer zu untersuchen, inwieweit sie begründet sind. Der Vorbereitungsdienst hat eine doppelte Aufgabe zu erfüllen; der Anfänger soll mit dem Geschäftsgang in den einzelnen Zweigen der Staatsverwaltung und ihren eigentümlichen Verhältnissen vertraut gemacht werden, gleichzeitig soll aber sein Wissen erweitert und vertieft, die Fähigkeit praktischer Anwendung der Rechtssätze gesteigert werden, ja er soll einige Rechtsgebiete erst kennen lernen, die beim Universitätsunterricht in den Hintergrund geschoben wurden. Es ist klar, daß der Vorbereitungsdienst nicht immer nach beiden Richtungen gleich Gutes leisten kann und in der Natur der Sache liegt es, daß die formale Seite der Ausbildung zuweilen ungebührlich stark hervortritt. Auch gut gemeinte Vorschriften können das nicht immer hindern. Bei jeder Behörde kann der größere Teil der Geschäfte mit Hilfe einer verhältnismäßig kleinen Zahl oft angewendeter Rechtssätze erledigt werden. Nur selten erscheint ein „interessanter" Fall und ist er da, so zieht es der Beamte in der Regel vor, die verantwortungsvolle Aufgabe selbst zu erledigen statt sie einem Anfänger zu überlassen. Dazu kommt, daß pädagogische Fähigkeiten sich nicht überall finden und daß es für manchen Beamten ein schweres Opfer bedeutet, wenn er unter der reichlich bemessenen Last der Tagesarbeit seufzend noch Zeit und Mühe dem jungen Kollegen widmen soll.

Man unterschätzt jedoch häufig den Nutzen, der mittelbar aus einer fleißigen Tätigkeit im Dienste der Behörden gezogen werden kann, auch wenn sie sich auf die Mitarbeit bei der Erledigung der Alltagsgeschäfte beschränkt. Auch einfache Arbeiten (z. B. Niederschriftführen, Anfertigung von kleinen Urteilen und Beschlüssen, von Aktenauszügen und

Vormerkungen) können einem wohlerwogenen erzieherischen Zwecke dienen. Sie lehren die Genauigkeit und Pünktlichkeit im kleinen, vor allem aber die für den Erfolg in der Prüfung unerläßliche Fähigkeit zu rascher Bewältigung einer großen Arbeitsmenge. Wer sich freilich im formellen Dienste stets behaglich Zeit läßt und alle dem Bureau gewidmeten Stunden auf die Erledigung einer den Geist nur wenig in Anspruch nehmenden Aufgabe verwendet, wird kaum einen großen Nutzen zu verzeichnen haben. Wer sich dagegen bemüht, die einfachen Geschäfte, die ihm übertragen werden, in immer kürzerer Frist zu beenden und dadurch einen größeren Teil des Tages für andere Betätigung frei zu machen, wird bald das Wachsen seiner Kräfte, seiner Gewandtheit, seiner Darstellungsgabe und seiner allgemeinen Leistungsfähigkeit spüren und damit die gewinnbringende Ausgestaltung der Praxis wohltätig empfinden. Die Aneignung einer gewissen praktischen Erfahrung im formellen Dienste ist ferner die Vorbedingung für das Fortschreiten zu schwierigeren Arbeiten. Die grenzenlose Ungeschicklichkeit, die zahlreiche Referendare bei der Erledigung einfacher Geschäfte zeigen, trägt hauptsächlich die Schuld daran, daß die Beamten sich scheuen, dem Anfänger auch größere Aufgaben zu übertragen.

Genügen kann freilich die Beschäftigung mit dem formalen Kleinkram nicht. Auch an größeren Arbeiten muß die Kraft versucht werden, an umfangreicheren Urteilen und Beschlüssen, eingehenden Gutachten, zusammenfassenden Berichten. Allerdings darf man nicht erwarten, daß man dabei immer nach juristischen Goldkörnern schürfen könne: häufig werden die Grundlagen der Entscheidung mehr auf tatsächlichem als auf rechtlichem Gebiete liegen. Stets aber wird man eine Anleitung zu logischer Entwicklung der Gedanken, zu einheitlicher Durchführung einer bestimmten Auffassung und zu freierem Gebrauche des schriftlichen Ausdrucks finden.

Man soll sich auch nicht abschrecken lassen, wenn vielleicht der erste Versuch mißlingt und der Beamte, dem der Referendar jeweils zugewiesen ist, den mühsam ausgearbeiteten Entwurf in den Papierkorb wandern läßt, oder wenn man dreimal und viermal von neuem ansetzen muß. Der Referendar hat in wenigen Jahren so viele weit auseinander liegende Dienstzweige kennen zu lernen, daß kleine Mißerfolge keine Schande sind. Erweist sich das Gelieferte auch nicht als verwendbar, so hat der Arbeitende doch eine Stählung seiner Kräfte zu verzeichnen und wird an die nächste Aufgabe ähnlicher Art mit ungleich größerem Selbstvertrauen herantreten. Niemals sollte deshalb der Referendar die Gelegenheit zu größeren Arbeiten aus Mißtrauen gegen sein Können ungenützt vorübergehen lassen. Es soll ihn auch nicht beirren, wenn ein ängstlicher Vorgesetzter ihm nichts anvertrauen will. Wer Arbeit sucht, findet sie. Man darf eben nicht die Dinge an sich herankommen lassen, nicht abwarten, was geboten wird, sondern muß selbst zugreifen; sollte es an der richtigen Unterweisung fehlen, so muß man diesen Mangel durch erhöhte Selbsttätigkeit auszugleichen suchen. Entscheidend ist ja im letzten Grunde doch nur, was der Referendar selbst leistet, der überwachende Beamte kann wohl bessern und nachhelfen, den Lernenden aber niemals der eigenen Verantwortlichkeit überheben.

Wirklich fruchtbringend kann nun der Vorbereitungsdienst nur werden, wenn die wissenschaftliche Fortbildung mit dem Gange der Praxis gleichen Schritt hält: dadurch wird einerseits die fördernde Wirkung der praktischen Tätigkeit vertieft und es wird die Gefahr des Verfallens in angelernte Routine und in Schablonen-Arbeit vermieden[1]),

[1]) Hat der Anfänger die **Technik** des Dienstes erlernt, so tritt gewöhnlich ein Gefühl der Sicherheit und Befriedigung ein und die Beschäftigung mit einer etwas mechanischen Arbeit wird gegenüber der angestrengten Denktätigkeit des letzten Universitätsjahrs als Erholung empfunden. Damit entsteht dann die Gefahr, — der auch der

anderseits gewinnt der meist trockene und nüchterne Lernstoff an Anschaulichkeit und die Bedeutung der Rechtssätze tritt in ein überraschend helles Licht. Man stößt auf Neues und Ungewohntes, man sieht, daß die Dinge in der Wirklichkeit anders aussehen, als man sich vorstellte, man bemerkt, daß vieles, was einem bisher klar und durchsichtig dünkte, verwickelt und schwer zu verstehen ist. Da muß nun mit dem Studium von neuem begonnen werden; es genügt nicht, daß man lernt, wie die Geschäfte erledigt werden, man muß sich auch Rechenschaft darüber geben können, warum sie so und nicht anders zu führen sind [1]).

Der Gang des Vorbereitungsdienstes ist im großen und ganzen durch die Vorschriften festgelegt [2]), es ist aber wichtig, daß man sich rechtzeitig darüber klar wird, welchen Gebrauch man von der durch die Vorschriften gewährten Wahlfreiheit machen und in welcher Weise man die Verbindung der praktischen Tätigkeit mit der theoretischen Fortbildung gestalten will. Die Zeit der Vorbereitung ist kürzer, als es den Anschein hat, man darf nicht säumen, wenn man überall leidlich beschlagen sein und doch nicht allzuviel auf einmal in Angriff nehmen will.

Sehr viel neues bringt sofort der amtsgerichtliche Vorbereitungsdienst. Freiwillige Gerichtsbarkeit und Grundbuchwesen müssen von Grund auf neu studiert werden und

---

ausgelernte Praktiker leicht unterliegt —, daß über der Form das Wesen der Sache vergessen wird, und daß man bei dem Bestreben alle Geschäfte nach gewissen Mustern zu erledigen, die schwierigeren rechtlichen Fragen übersieht oder überspringt. Vor einem solchen Fehler bewahrt die rechtzeitige Rückkehr zur Theorie.

[1]) Besonders lehrreich kann das Durchlesen von Akten sein, wenn man dabei fortgesetzt Klarheit darüber zu gewinnen sucht, auf welchen Vorschriften die amtliche Tätigkeit beruht, die man in den Akten niedergelegt findet, und ob sie dem Gesetz auch allenthalben entspricht. Auf diese Weise wird man sich namentlich in die Gebiete der freiwilligen Gerichtsbarkeit am leichtesten einarbeiten.

[2]) § 22 der VO. vom 1. April 1925 und §§ 50—79 der MB. vom gleichen Tage, GVBl. S. 103 ff.

man wird gut tun, mit dem Studium schon am ersten Tage zu beginnen, sonst wird eine fruchtbringende Mitarbeit nicht möglich sein. Eine vortreffliche Anleitung zum Selbstunterricht bieten hier die Ministerialerlasse: die Vormundschaftsordnung und die Nachlaßordnung, insbesondere aber die Dienstanweisung für die Grundbuchämter.. Sie beschränken sich nicht darauf den Geschäftsgang zu regeln, sondern führen auch in die Rechtsvorschriften ein, gleichen kurzgefaßten Handbüchern. Besondere Aufmerksamkeit wird man während der Tätigkeit beim Amtsgericht auch dem Vollstreckungsrechte zuwenden müssen; ein großes Stück davon, das Immobiliar-Vollstreckungsrecht, ist dem Anfänger in der Regel nahezu unbekannt. Es braucht wohl kaum hervorgehoben zu werden, daß das Einarbeiten in die Gebiete des Vormundschafts- und Nachlaßwesens zu erneutem und vertieftem Studium des Familien- und Erbrechts Anlaß geben wird und daß die Grundbuchordnung und das Zwangsversteigerungsgesetz nur in Verbindung mit den sachenrechtlichen Vorschriften des Bürgerlichen Gesetzbuchs erfaßt werden können. Durch die Verordnung vom 4. Januar 1924 über Gerichtsverfassung und Strafrechtspflege (RGBl. I S. 15) ist das Schwergewicht der Strafrechtspflege erster Instanz auf die Amtsgerichte gelegt worden. Dementsprechend ist nicht mehr wie früher der gerichtliche Vorbereitungsdienst je zur Hälfte beim Amts- und beim Landgericht, sondern mit 12 Monaten bei jenem und mit 6 Monaten bei diesem abzuleisten (§ 68 Abs. 1 der angef. MB.). Da die schwereren Straffälle in der Hauptsache von den Schöffengerichten abgeurteilt werden, besteht die weitere Vorschrift (§ 68 Abs. 2 a. a. O.), daß vom amtsgerichtlichen Vorbereitungsdienste mindestens 3 Monate bei einem Amtsgericht abzuleisten sind, bei dem ein Schöffengericht besteht. Ferner sind die Referendare gem. § 72 Abs. 1 a. a. O. 4 Monate im Strafrecht und Strafprozeß, darunter drei

Monate an einem Amtsgericht mit Schöffengericht, dagegen nur 3 Monate im Zivilrecht und Zivilprozeß auszubilden; am Landgerichte dagegen sind sie nur 2 Monate einer Strafkammer, aber 4 Monate einer Zivilkammer oder einer Kammer für Handelssachen zuzuteilen (§ 73 Abs. 1 a. a. O.).

Daraus ergibt sich, daß die praktische Ausbildung im Strafrecht in der Hauptsache beim Amtsgericht zu erfolgen hat.

Während des nun stark verkürzten landgerichtlichen Vorbereitungsdienstes wird man dann Handels-, Wechsel- und Gesellschaftsrecht in den Vordergrund treten lassen und den bisher weniger beachteten Teilen des Bürgerlichen Rechts, Strafrechts und Prozeßrechts wieder nähertreten.

In der Verwaltungspraxis sind dann ganz neue und eigenartige Schwierigkeiten zu überwinden. Von der Universität bringt man in der Regel nur eine allgemeine theoretische Übersicht über die Grundzüge mit, dagegen fehlt es an der Kenntnis des massenhaften Details und an der Beherrschung des weitverzweigten zersplitterten Quellenmaterials. Zwar ist in § 91 Abs. 1 Buchst. b der MV. vom 1. April 1925 der Prüfungsstoff unter 24 Nummern abschließend zusammengestellt; allein da nach Abs. 2 die unter Abs. 1 b unter Nr. 1—20 aufgeführten Rechtsgebiete außer den einschlägigen Gesetzen auch die dazu ergangenen Verordnungen und wichtigeren Vollzugsbestimmungen umfassen, hat der Prüfling in der Verwaltung einen Rechtsstoff zu beherrschen, der an Umfang und Vielseitigkeit dem justiziellen zum mindesten nicht nachsteht. Es gilt also zunächst sich mit den Umrissen vertraut zu machen, den formellen Geschäftsgang, die Zuständigkeitsverhältnisse, die Hilfsmittel kennen zu lernen, und dann allmählich ein Gebiet nach dem andern genauer zu erforschen. Für die Wahl der Verwaltungsbehörde, bei der der Vorbereitungsdienst abgeleistet wird, ist aus finanziellen Gründen meist der Wohnort der Eltern des Prüflings maßgebend. Kommt dieser Gesichtspunkt nicht in Frage, so empfiehlt es sich die Praxis bei einem kleineren Bezirksamte mit einfachen, ländlichen Verhältnissen zu beginnen, im zweiten Halbjahr aber sie bei einem Bezirksamte mit vorwiegend industrieller oder doch gemischter Bevölkerung oder beim Stadtrat einer größeren unmittelbaren Stadt fortzusetzen. Dies gilt jedoch nur für den Fall, daß der Referendar den Vorbereitungsdienst zuerst bei den Verwaltungsbehörden ableistet. Beginnt er dagegen, wie herkömmlich, bei dem Amtsgerichte, so fällt die Verwaltungspraxis in das zweite und dritte Jahr, wo die meisten Referendare in die großen Städte, zumal in die Landeshauptstadt zu strömen pflegen, um an den dort reichlich gebotenen Ausbildungsmöglichkeiten, insbesondere an Privatkursen, teilzunehmen.

Während der anwaltschaftlichen Tätigkeit muß die richtige Mitte zwischen praktischer Übung und eigenem Studium eingehalten werden. Es ist durchaus nicht zu billigen, wenn man übermäßig viel Zeit auf die Wahrnehmung von Terminen und auf mechanische Verrichtungen verwendet und so das wichtige letzte Halbjahr vor der Prüfung einem geschäftigen Nichtstun widmet. Anderseits ist es gar nicht vorteilhaft sich ganz von der Praxis zurückzuziehen und nur der Form halber zuweilen ein anwaltliches Geschäft vorzunehmen, damit der Anwalt wenigstens ohne Gewissensnot das vorgeschriebene Zeugnis über die Ableistung des Vorbereitungsdienstes ausstellen kann. Das juristische Denken wird durch nichts mehr gefördert, als wenn aus rein tatsächlichen und nicht verarbeiteten Grundlagen sofort der juristisch maßgebende Gesichtspunkt gefunden werden muß. Und gerade für diese Übung bietet die Anwaltskanzlei reichliche Gelegenheit. Durch die Führung von Verteidigungen, die der Rechtsanwalt dem Referendar übertragen darf, erhält dieser einen tieferen Einblick in das Gefüge des Strafprozeßrechts, das für so manchen Prüfling eine terra incognita bedeutet. Der Verkehr bei Gericht und der Umgang mit den Parteien gewöhnt an Sicherheit im persönlichen Auftreten und gibt die für die mündliche Prüfung nötige Gewandtheit im Vortrag. Man wird so vortreffliche Bildungsmittel nicht ungenützt lassen dürfen, anderseits aber ist es ratsam, daß man sich von vorneherein einen bestimmten Teil des Tages für die eigene Arbeit freihält, um sich noch gründlich auf den verschiedensten Gebieten umzusehen.

Noch einige Worte über die Wahl des Ortes für die Ableistung des Vorbereitungsdienstes. Es ist nicht ganz leicht hier zu raten, weil in der Regel persönliche Verhältnisse und Neigungen, häufig auch finanzielle Rücksichten, den Ausschlag geben. Es ist in den letzten Jahrzehnten üblich geworden, daß sich die große Mehrzahl der Bewerber bei den Behörden und den Rechtsanwälten der Großstädte zusammendrängt. Es ist nicht zu verkennen, daß sich hier gute Bildungsgelegenheiten finden — gediegene Kurse, wohl ausgestattete Büchersammlungen, anregender Verkehr mit fortgeschrittenen Kollegen und mit hervorragend befähigten Beamten. Auch bietet das Großstadtleben die besten Einblicke in die modernsten Erscheinungen des rechtlichen und wirtschaftlichen Verkehrs. Allerdings kann sich hier ein mit Arbeit überhäufter Beamter und ein vielbeschäftigter Rechtsanwalt um die Ausbildung eines jeden einzelnen der zahlreichen Referendare häufig nicht in dem wünschenswerten Umfang annehmen. Doch kann dieser teilweise Abhilfe dadurch schaffen, daß er sich aus der Registratur interessante erledigte Akten vorlegen läßt, aus denen die Entscheidungen entfernt werden, die er nun selbst anzufertigen hat. Auch findet er bei großstädtischen Behörden und Anwälten unter der großen Zahl der hier praktizierenden Kollegen leichter als in kleinen Verhältnissen den einen oder anderen, an den er sich zu gemeinschaftlicher Arbeit anschließen kann.

Da bei großen Behörden die Arbeit in den letzten Jahren außerordentlich angewachsen, eine Vermehrung der Beamtenstellen aber bei der mißlichen Finanzlage des Staates meist ausgeschlossen ist, eröffnet sich hier für den Referendar die Möglichkeit, auch schwierigere Entscheidungen ohne wesentliche Beihilfe des für ihre Erlassung zuständigen Beamten auszuarbeiten.

§ 4. Gesetzesstudium.

Für die Universität mag die Systematik die beste Form des Lehrens und Lernens sein; der Referendar muß sich daran gewöhnen, mit dem Gesetze selbst zu arbeiten, und neben dem Lehrbuche Textausgaben und Kommentare fleißig gebrauchen. Seit an die Stelle eines auf Gewohnheit und Übung beruhenden Zivilrechts dickleibige Gesetzbücher mit greifbaren, aber nicht immer ohne weiteres klaren Vorschriften getreten sind, die oft wie ein künstliches Räderwerk ineinandergreifen, kommt der praktische Jurist nicht mehr durch, wenn er sich nicht in den Gesetzen selbst zurecht finden kann. Sehr bald wird der Referendar bemerken, wie erstaunlich geringe Kenntnis der Gesetze er von der Universität mitbringt, daß ihm nicht nur der Inhalt vieler Gesetze verborgen geblieben ist, sondern sogar das Dasein einer ganz beträchtlichen Zahl. Diese Lücke auszufüllen muß sein erstes Bestreben sein, wenn er zu einer gedeihlichen praktischen Arbeit kommen will.

Schon am ersten Tage des Vorbereitungsdienstes kann der Referendar in die Lage kommen Gesetze mit sehr weittragenden und wichtigen Bestimmungen anwenden zu müssen, mit denen er noch gar nicht vertraut ist; man denke nur an das Reichsgesetz über die freiwillige Gerichtsbarkeit, das Zwangsversteigerungsgesetz, die Grundbuchordnung, an das Gesetz betreffend Übergangsvorschriften zum Bürgerlichen Gesetzbuch, das Ausführungsgesetz zur Zivilprozeßordnung und Konkursordnung, die Ausführungsgesetze zum Gerichtsverfassungsgesetz und zur Strafprozeßordnung und ähnliche. Auf dem Gebiete der Verwaltung macht sich der Mangel einer genügenden Quellenkunde in der Regel noch weit schmerzlicher fühlbar. Man darf sich nicht mit dem Gedanken trösten, man könne die Lücken der Gesetzeskenntnis schön langsam nach und nach, von Fall zu Fall ausfüllen. Wer so denkt, wird in der praktischen Ausbildung bald zurückbleiben, er wird mechanisch und nur mit halbem Bewußtsein nachmachen, was ihm vorgemacht wird, ohne Sinn und Grund des Geschehens zu erfassen. Und in der Prüfung vollends wird er ganz auf dem Trockenen sitzen, wenn plötzlich ein Gebiet betreten wird, das zu durchforschen ihm der „äußere Anlaß" fehlte. Ein guter Überblick über den Stand der Gesetzgebung — von einem unfehlbar sicheren Beherrschen kann ohnehin nicht die Rede sein — läßt sich nur durch ein planmäßig angelegtes Studium erreichen.

Vom Gesetzesstudium läßt sich oft der Fleißigste abschrecken, weil es als unerhört langweilig und geisttötend verschrieen ist und weil behauptet wird, es müsse unfruchtbar bleiben, man könne das Gelesene nicht behalten. Wer sich freilich in ein einsames Zimmer setzt, eine Reihe von Gesetzen durchzulesen beginnt und versucht einen Paragraphen nach dem andern dem Gedächtnisse einzuprägen, unternimmt eine Sisyphusarbeit: hat er einmal drei Tage lang nach seiner Methode fortgefahren, so ist das am Anfang in das Gedächtnis Aufgenommene wieder spurlos verschwunden. Hier kann jedoch Abhilfe geschaffen werden: sie ist in der Vereinigung mehrerer Kollegen aus dem gleichen Jahrgang oder auch aus verschiedenen Jahrgängen zu finden. Man kommt wöchentlich dreimal oder viermal für zwei Stunden zusammen, nimmt nach einem gewissen Plane die weniger geläufigen Gesetze nacheinander vor, bespricht an der Hand des reinen Gesetzestextes oder einer kleineren

Handausgabe eine Vorschrift nach der andern und erörtert alle Fragen, die beim Durchlesen auftreten; man muß sich nur davor hüten sich in weitschweifige Streitgespräche zu verlieren. Gelangt man in einer zweifelhaften Frage zu einer bestimmten Auffassung, so vermerkt man den gefundenen Gedanken so kurz als möglich im Texte. Will man die gemeinsame Arbeit noch fruchtbringender gestalten, so bereitet man sich vor jeder Zusammenkunft so gründlich vor, daß man über jede Frage sofort Rede stehen und über den Stoff selbst frei sprechen kann. Man schlägt verwandte Vorschriften und wichtige Entscheidungen nach, unterrichtet sich aus dem Schrifttum über bestrittene Einzelheiten und versucht an der Hand des Gesetzestextes kleinere Beispiele zu lösen. Seitdem die Zahl der für die Staatsprüfung in Betracht kommenden Gesetze genau begrenzt ist, wird ein tieferes Eindringen in diese leichter zu erzielen sein als früher. Auch die zu den Verwaltungsgesetzen gehörigen Verordnungen lassen sich unschwer überblicken, während die Frage, was unter die „wichtigeren Vollzugsbestimmungen" fällt, wegen der Dehnbarkeit dieses Ausdrucks manchmal Kopfzerbrechen bereitet. Die mündliche Besprechung wird zur Schärfung der Auffassungsgabe und des logischen Denkens beitragen, der Austausch der Meinungen wird das Verrennen in Vorurteile und falsche Auffassungen verhüten und zur Erkenntnis zahlreicher Irrtümer führen.

§ 5. Studium von Entscheidungen.

Bei dem Studium von Entscheidungen wird man ein doppeltes Ziel im Auge behalten müssen. Es gilt zunächst die Hauptgrundsätze der Rechtsprechung kennen zu lernen und dem Gedächtnisse soweit einzuprägen, daß man sie im praktischen Dienste und in der Staatsprüfung verwerten kann. Das Nachlesen der Entscheidungen und ihrer Gründe fördert und schult aber auch das juristische Denken, vertieft die

Kenntnis der Gesetze, indem es ein anschauliches Bild von ihrer Bedeutung und ihrer Tragweite gibt, und leitet zur richtigen Entwickelung der Gedanken und zum logischen Aufbau an. Es ist selbstverständlich, daß für beide Zwecke nur ein Teil des massenhaften, in der jüngsten Zeit überreich und unübersehbar gewordenen Stoffes in Betracht kommen kann, zumal da die zahlreichen Sammlungen nicht durchweg nach Form und Inhalt Gleichwertiges bieten.

Vor allem ist eine verständige Begrenzung des Gedächtnisstoffes geboten: ein Übermaß würde bald ein völliges Versagen herbeiführen. Man kann z. B. vom Referendar verlangen, daß er weiß, welche Grundsätze das Reichsgericht für die Beurteilung der Zubehöreigenschaft aufgestellt hat, oder unter welchen Voraussetzungen es die Ablehnung von Beweisanträgen in der Hauptverhandlung gestattet, oder welche Stellung der Verwaltungsgerichtshof in den wichtigsten Fragen des Kirchenrechts einnimmt. Dagegen wäre es wohl verfehlt sich alle die Tatbestände von Betrug und Urkundenfälschung merken zu wollen, über die die oberen Gerichte jemals entschieden haben, oder das unendliche Vielerlei, das die Rechtsprechung zu § 313 oder zu § 2231 Nr. 2 des BGB. zutage gefördert hat.

Im übrigen läßt sich kein fester Maßstab angeben, mit dessen Hilfe man den Wert und die Brauchbarkeit einer Entscheidung sofort ermitteln könnte. Nur einen Satz kann man vielleicht aufstellen ohne begründeten Widerspruch fürchten zu müssen: wertlos und geradezu gefährlich sind alle Entscheidungen, die ohne Begründung veröffentlicht werden. Die vom Tatbestand losgelösten „Rechtssätze“, die zumeist nur einen Tenor geben und höchstens die Gründe unter Beseitigung alles bedingenden und einschränkenden Beiwerks auf das unbedingt Notwendige zusammenziehen, werden dadurch nicht besser, daß man sie auch in angesehenen Zeitschriften findet: sie geben dem Leser nicht die Möglichkeit einer Nachprüfung, sie schalten sein selbständiges Mit- und Nachdenken aus, indem sie ihm gleich ein fertiges Ergebnis ohne Unterlagen liefern, sie stellen ihm als fest und sicher hin, was vielleicht nur subjektive Auffassung ist. Man könnte beinahe sagen, für den Referendar seien die Entscheidungen am lehrreichsten, die gar keinen Rechtssatz geben, sondern nur eine Frage oder einen kurzen Hinweis auf das behandelte Rechtsgebiet voranstellen. Er wird dann nicht in die Versuchung kommen etwa nur die fettgedruckte Überschrift zu lesen, sondern wird aus Tatbestand und Gründen selbst den „Rechtssatz" herausschälen müssen. Versucht er dann ihn schriftlich kurz und bündig aber doch erschöpfend und nicht zu allgemein zu fassen, liest er um dabei nicht irre zu gehen die Entscheidung zweimal und dreimal durch, schlägt er auch noch die Zitate und verwandte Entscheidungen nach, so wird er eine weit ersprießlichere Geistesarbeit geleistet haben, als wenn er zwanzig noch so sorgfältig und gründlich gefaßte Auszüge gelesen hat[1]).

Einiges Gewicht darf man auch darauf legen, welches Gericht die Entscheidung gefällt hat. Die schönen Zeiten, in denen man sich mit der Rechtsprechung des Reichsgerichts, des Obersten Landesgerichts und allenfalls einiger hoch-

---

[1]) Man wird schon während der Praxis (bei der Abfassung von Urteilen, der Bearbeitung von Kursaufgaben) Vorsicht beim Gebrauche der beliebten an sich vortrefflichen Übersichten walten lassen müssen, die in den letzten Jahren von Warneyer, Soergel und anderen herausgegeben worden sind. Man darf solche Bücher nur als Nachschlagewerke benützen. So gut die aus den Entscheidungen gezogenen Leitsätze auch gefaßt sein mögen, Ungenauigkeiten oder irreführende Verallgemeinerungen waren bei der Menge des Stoffes doch nicht zu vermeiden. Man sollte deshalb den Text stets an Ort und Stelle aufsuchen.

Das gleiche gilt von Entscheidungen, die man in Kommentaren, Lehrbüchern oder Abhandlungen zur Unterstützung der Ansicht des Verfassers aufgeführt findet. Prüft man genauer nach, so entdeckt man häufig, daß sie den Satz gar nicht beweisen, dessen Richtigkeit mit ihnen belegt werden sollte, oder daß sie doch auf einen bestimmten Fall zugeschnitten sind, also keine Verallgemeinerung vertragen.

angesehener Oberlandesgerichte begnügte, sind längst dahin. Die Zeitschriften ziehen nicht nur fast die gesamte Rechtsprechung der Oberlandesgerichte heran, insbesondere auch in Strafsachen seit der Umgestaltung der Strafgerichtsverfassung durch die VO. vom 4. Jan. 1924, sondern steigen selbst bis zu landgerichtlichen Entscheidungen herunter. Man wird trotz mancher Bedenken anerkennen müssen, daß sie damit einem Bedürfnisse der Praxis entgegenkommen. Die Erhöhung der Revisionssumme, die Erweiterung der amtsgerichtlichen Zuständigkeit, der Ausschluß der Beschwerde gegen Entscheidungen der Oberlandesgerichte, die Gestaltung der Zuständigkeit in der freiwilligen Gerichtsbarkeit, in Grundbuchsachen und im Zwangsversteigerungsverfahren haben dazu geführt, daß eine Reihe von alltäglichen Rechtsfragen nicht mehr zu den höchsten Instanzen gelangen, sondern in den Niederungen ausgetragen werden müssen. Auch der Referendar wird also an den Entscheidungen der unteren Gerichte nicht achtlos vorübergehen dürfen, wenn er sich gründlich und allseitig unterrichten will. Aber es ist gerechtfertigt, wenn er sie mit besonderer Vorsicht behandelt. Spreu und Weizen sind nicht immer gesondert. Nicht selten wird eine landgerichtliche oder eine oberlandesgerichtliche Entscheidung später von einem höheren Gerichte mißbilligt, wenn es gelingt die Frage hinaufzutreiben, mitunter gehen die Meinungen gleichgeordneter Gerichte, selbst der verschiedenen Kammern oder Senate desselben Gerichts, weit auseinander; es kommt auch vor, daß eine Entscheidung nicht um deswillen veröffentlicht wird, weil sie mustergültig oder unangreifbar ist, sondern weil die darin behandelte Frage angeschnitten, zur Erörterung gestellt werden soll. Ein blinder Glaube wäre also da nicht am Platze; man wähne nicht, daß man nach allen Seiten gedeckt, daß die Frage erledigt und gelöst sei, weil man irgendwo ein Präjudiz aufgetrieben hat.

übrigens soll auch einer urteilslosen Anbetung der Rechtsprechung höchster Gerichtshöfe nicht das Wort geredet werden. Da, wo sich aus dem Streite der Meinungen noch keine feste Rechtsanwendung entwickelt hat, sondern nur vereinzelte Entscheidungen Stellung genommen haben, ist man zur Kritik und zur selbständigen Forschung wohl berechtigt, selbst gegenüber dem Reichsgericht oder dem Obersten Landesgerichte. Anders steht es, wenn die Rechtsprechung in einer bestimmten Frage seit Jahren und Jahrzehnten an einer Anschauung festgehalten hat, was jetzt auch für das Gebiet des bürgerlichen Rechtes gilt, ausgenommen das Aufwertungsrecht, das aber für die Staatsprüfung nicht in Betracht kommt. Es hat dann keinen Zweck, sie immer wieder von neuem aufzurollen, und es ist ein übel angebrachtes Streben nach dem Scheine der Gelehrsamkeit und hohen Wissenschaftlichkeit, wenn man gegen die herrschende Meinung in Übungsaufgaben oder etwa gar in der Prüfung selbst mit ungeheurem Aufwande von Worten und Papier ankämpft. Man gewöhnt sich dabei an eine gewisse unbescheidene Rechthaberei. Auch den Erfolg der Prüfung kann ein solches Verfahren gefährden: man ergeht sich in langatmigen weitschweifigen Ausführungen oder in überflüssiger Polemik zu einer nebensächlichen Frage, die vielleicht nur berührt wurde, um festzustellen, ob der Prüfling die Gerichtspraxis kennt. Mit einer kurzen Hinweisung auf die Rechtsprechung hätte sie abgetan werden können, statt dessen versäumt man kostbare Zeit, indem man an falscher Stelle in die Tiefe bohrt. Der Staat will praktische Arbeiter, nicht eigensinnige Gelehrte.

§ 6. Studium der Literatur.

In den letzten Jahrzehnten war es üblich, sich für die Staatsprüfung mit einer gewaltigen, immer steigenden Anzahl von Büchern — systematischen Werken, Kommentaren,

Abhandlungen — zu versehen. Die Beschränkung der Hilfsmittel durch die neuen Prüfungsvorschriften hat diesen Übertreibungen ein Ende gemacht, aber damit sind zugleich die Anforderungen gewachsen. Der Referendar muß sich alsbald einen sicheren Überblick über das Schrifttum zu verschaffen suchen, er muß nicht nur die Brauchbarkeit und Zuverlässigkeit der einzelnen Hilfsmittel beurteilen lernen, damit er innerhalb des von den Vorschriften aufgestellten Rahmens die richtige Auswahl treffen kann, er darf auch nicht ganz unbewandert sein in den wissenschaftlichen Hilfsmitteln, die von dem Gebrauch in der Prüfung ausgeschlossen sind. Notwendig ist es aber vor allem, daß er die Werke, die er in der Prüfung zu benützen gedenkt, wenigstens einigermaßen kennt. Es ist klar, daß der Besitz der besten Werke wertlos ist, wenn man sie nur von außen angesehen hat und mit ihrer Anlage und ihrer Eigenart gar nicht vertraut ist. Wer mehrere Jahre lang kaum einen Blick in das Schrifttum geworfen hat, um dann in den letzten Monaten vor der Prüfung eine Menge Bücher anzukaufen oder zur Leihe zu nehmen, darf sich nicht wundern, wenn er im Augenblicke der Entscheidung vor seinen teuer erworbenen Schätzen ratlos und mutlos dasteht. Anderseits darf natürlich nicht die Anforderung gestellt werden, daß man alle für den Gebrauch in der Prüfung bestimmten Bücher vorher vollständig durchgelesen haben müßte; die Unmöglichkeit eines solchen Beginnens leuchtet ohne weiteres ein. Auch hier muß also eine wohlerwogene Auswahl stattfinden. Eine noch weitergehende Beschränkung ist natürlich geboten beim Gebrauche der Hilfsmittel, die man nur bei der wissenschaftlichen und praktischen Fortbildung, nicht in der Prüfung selbst benützen will. Unser Schrifttum hat allmählich einen Umfang angenommen, der kaum mehr einen Überblick gestattet, und neben vielen guten Schriften kommt auch mancherlei wertloses Zeug in den Verkehr.

Systematische Werke, vor allem also Lehrbücher, sind nicht nur zweckmäßig, sondern geradezu unentbehrlich, wenn man sich in einen Stoff einarbeiten will, der von der Universität her nicht oder nur mangelhaft bekannt ist. Wer z. B. in den Lehren des Zwangsvollstreckungsrechts wenig bewandert oder mit dem Immobiliarsachenrechte des Bürgerlichen Gesetzbuchs und der Grundbuchordnung nicht genügend vertraut ist, wird diese Lücken nicht ausfüllen können, ohne ein systematisches Werk zu Rate zu ziehen. Denn bei wissenschaftlich so fein durchgebildeten Materien kann die Kenntnis einzelner Vorschriften nicht genügen, man muß vielmehr den inneren Zusammenhang und die leitenden Gedanken des Gesetzes kennenlernen. Nicht anders steht es mit der freiwilligen Gerichtsbarkeit und mit einzelnen Abschnitten des Handels- und Gesellschaftsrechts. Auch das bayerische Kirchenrecht — von dem der Student zumeist nur eine abgeblaßte Vorstellung erhält, weil sich die Vorlesungen vielfach mehr mit historisch-philologischer Weisheit als mit dem geltenden Rechte befassen — muß von Grund aus studiert werden, was ohne die Hilfe eines systematischen Werkes kaum möglich ist. Leider sind gerade hier die Unklarheiten und Streitfragen Legion, woran zuvörderst der unfertige und unsichere Stand der Reichs- und Landesgesetzgebung die Schuld trägt. Auch einzelne Teile der großen staatsrechtlichen Lehrbücher wird man sich genau ansehen müssen, so z. B. die Darstellungen des Budgetrechts, des Verwaltungsrechtsverfahrens, des Steuerrechts u. a. Wohl zu beachten ist, daß in der ersten Abteilung der Staatsprüfung systematische Werke überhaupt nicht, in der zweiten Abteilung nur solche über das alte und neue Reichs- und Landesstaatsrecht, über Kirchenrecht, Volksschulrecht, Volkswirtschaft und Staatsfinanzwirtschaft zugelassen sind (§§ 92 und 93 der MB. vom 1. April 1925).

Kommentare sind für das Studium nur in beschränktem Maße verwendbar, immerhin aber ein geeignetes Mittel, wenn man eine eindringende Kenntnis einzelner schwieriger oder besonders wichtiger Vorschriften erlangen will. Es wäre freilich nicht ratsam Kommentare einfach durchzulesen, weil nur weniges im Kopfe haften und die Fülle der Einzelheiten verwirrend wirken würde; aber es kann doch nützlich sein, gewisse Abschnitte herauszugreifen und sich die bemerkenswertesten Streitfragen und ihre Beurteilung einzuprägen. So kann man Teile der Zivilprozeßordnung (Zustellungswesen, Urkundenprozeß, Forderungspfändung, Offenbarungseidsverfahren), der Grundbuchordnung, des Zwangsversteigerungsgesetzes (geringstes Gebot, Rangordnung, Lehre vom Zuschlag), des Gesetzes über die freiwillige Gerichtsbarkeit (Nachlaßauseinandersetzung), der Gewerbeordnung (Gemeinde- und Ortschaftsvermögen, Umlagenpflicht), des Fürsorgewesens nach Kommentaren durchnehmen. Dabei wird es sich empfehlen, e i n e besonders gute und ausführliche Darstellung zugrunde zu legen, andere aber zum Vergleiche heranzuziehen. Der Hauptwert des Kommentars liegt allerdings darin, daß er als Nachschlagebuch benützt werden kann: auch das Nachschlagen muß jedoch fleißig geübt werden, damit man sich in der Prüfung rasch zurecht finden kann und die Eigentümlichkeiten der einzelnen Werke und ihrer Anordnung kennt.

Das Ausgeführte gilt für die Verwaltungsfächer unbeschränkt, weil hier zu jedem Gesetz und zu jeder Verordnung ein Kommentar benutzt werden darf (§ 93 a. a. O.). In der ersten Abteilung dagegen ist nur je ein Kommentar zum Bürgerlichen Gesetzbuch, zum Handelsgesetzbuch, zur Wechselordnung, zur Zivilprozeßordnung, zum Strafgesetzbuch und zur Strafprozeßordnung als Hilfsmittel zugelassen (§ 92 a. a. O.); hier hätte es wenig Sinn, auf den übrigen Rechtsgebieten sich in einen Kommentar einzuarbeiten, den man in der Staatsprüfung doch nicht verwenden darf.

Zeitschriften wird der Rechtspraktikant nur dann mit Erfolg benützen können, wenn er sich nicht damit begnügt die Artikel zu überfliegen, sondern auch den wesentlichen Inhalt der Abhandlungen in seinen Büchern vermerkt. Es gibt kaum eine bessere Übung der geistigen Tätigkeit, als wenn man sich darin versucht, längere Ausführungen in wenige ganz kurze und klare Sätze zusammenzudrängen.

Die fleißige Durchsicht der Tageszeitungen wird vor allem für die Prüfung aus der Volkswirtschaft und aus dem Finanzwesen von Wert sein. Sie lenkt auch den Blick auf die Tagesfragen und weitet damit den Gesichtskreis. Freilich ist scharfe Prüfung und nüchterne Kritik geboten. Wenig empfehlenswert ist die Benützung der in Zeitungen veröffentlichten Entscheidungen: sie sind nicht immer mit Sorgfalt und Genauigkeit wiedergegeben, können daher leicht zu schweren Irrtümern verleiten.

Mit der Anschaffung von Büchern warte man nicht allzulange; ein Buch, mit dem man nicht vertraut ist, hat in der Prüfung nur halben Wert. Es ist ein verkehrtes Verfahren, wenn man durch falsche Sparsamkeit verleitet in den ersten Jahren des Vorbereitungsdienstes ohne wissenschaftliche Hilfsmittel durchzukommen sucht. Es ist heutzutage nicht mehr möglich bei der Vorbereitung (vor allem bei der Teilnahme an praktischen Übungen) Gutes zu leisten, wenn man nicht wenigstens einen der großen, allgemein bekannten Kommentare zum BGB., zur ZPO. usw. zur Hand hat.

§ 7. Kurse. Bearbeitung von Aufgaben.

Die maßgebenden Stellen haben durch die Einführung von Pflichtkursen bei den Behörden reichlich das ihrige getan um die Ausbildung der Referendare zu verbessern und auch die Zahl der privaten Übungen ist in den letzten Jahrzehnten beträchtlich in die Höhe gegangen; dennoch wird man schwerlich behaupten können, daß die Prüfungsergebnisse wesentlich günstiger geworden wären. Diese Erscheinung läßt sich nur dadurch erklären, daß von den Kursen nicht der richtige Gebrauch gemacht wird und daß die Mehrzahl der jungen Juristen mehr Wert auf die Zahl der Übungen als auf ihre zweckmäßige Ausnützung legt. Auch hier muß wie beim praktischen Dienste beachtet werden, daß der Kursleiter wohl die Richtpunkte angeben, niemals aber durch sein Eingreifen die eigene Verantwortlichkeit des Einzelnen aufheben und die Selbsttätigkeit ersetzen kann. Wer die Pflichtkurse des Vorbereitungsdienstes als Unannehmlichkeit nicht als Wohltat betrachtet, in den vorgeschriebenen Übungen nur einen Zwang sieht und sie mit Mißstimmung oder oberflächlich abmacht, um einer lästigen Sache möglichst bald ledig zu werden, verrät eine schülerhafte Auffassung, die sich notwendig rächen muß. Ebenso verkehrt ist es zu glauben, man habe schon das seinige getan, wenn man mehrere Privatkurse belegt und besucht hat, und man könne beruhigt der Prüfung entgegensehen, weil man in jeder Woche vier bis sechs Stunden abgesessen, dem Vortrage aufmerksam zugehört und alles Wichtige aufgeschrieben hat.

Es soll nicht verkannt werden, daß schon allein die Besprechung von Aufgaben durch einen verständigen, wissensreichen Praktiker geistige Anregung in Fülle bringen, dunkle Gebiete aufhellen und Irrtümer beseitigen kann, aber das bloße Aufnehmen eines nichtverarbeiteten Stoffes hat für eine praktische Prüfung natürlich niemals den gleichen Wert, wie das eigene Schaffen und das selbständige Ringen nach Klarheit. Darum gibt nur die Bearbeitung von Aufgaben durch den Lernenden selbst den obligatorischen und den privaten Kursen wirklichen Wert. Macht man es sich also zum Grundsatz, alle Aufgaben gründlich zu bearbeiten, so wird man bald einsehen, daß man mit wenigen Kursen ganz gut auskommen kann; ein Übermaß der Zahl der Kurse hat leicht die Folge, daß wegen des Mangels ausreichender Zeit nur mehr wenige Aufgaben wirklich gründlich bearbeitet werden, die große Menge dagegen beiseite gelassen oder nur überflogen und schlampig gelöst wird. Dann bringen die Kurse mehr Nachteile als Vorteile; man hat seine Zeit mit geschäftigem Müßiggang ausgefüllt, eine Scheinarbeit geleistet und das selbständige Angreifen einer größeren Aufgabe verlernt. Kein Wunder, wenn dann im Augenblicke der Entscheidung die Kraft versagt.

Für den Anfang ist es nicht ratsam den Aufgaben nur die Zeit zu widmen, die in der Prüfung zur Verfügung steht; schon der Umstand, daß die Hilfsmittel nicht immer sogleich zur Hand sind, macht einen größeren Aufwand an Zeit nötig; auch mangelt zunächst die Übung, und es könnte das Streben nach rascher Beendigung leicht zur Ungenauigkeit verführen oder grobe Irrtümer im Gefolge haben. Anfangs suche man möglichst wohlüberlegte sachliche Entscheidung, ausführliche und scharfsinnige Begründung, sorgfältigen Aufbau und lesbare Darstellung zu erzielen, auch wenn dabei viele Stunden geopfert werden müssen. Man kann auch die Aufgabe zum Ausgangspunkt für ein tiefer gehendes Studium weniger geläufiger oder besonders verwickelter Vorschriften nehmen. Hat man größere Gewandtheit erlangt und sich an die Art der Fragestellung und die formelle Eigenart der Aufgaben gewöhnt, so kann und muß man versuchen die Dauer der Arbeit immer mehr zu beschränken und schließlich die Lösung aus dem Stegreife niederzuschreiben. Sind im letzten Jahre vor der Prüfung einmal alle Hilfsmittel gesammelt, so kann man mehrere Wochen hindurch einen oder zwei Tage ansetzen, an denen man Aufgaben genau in der vorgeschriebenen Zeit zu lösen versucht.

Nur geringen Wert hat das Studium der Bearbeitungen von Prüfungsaufgaben, wie sie hier und da veröffentlicht werden. Es ist eher zu widerraten, weil es zur

Unselbständigkeit erzieht. Die „Musterlösungen" könnten ja recht wertvoll sein, wenn der Lernende immer soviel Selbstbeherrschung hätte, daß er sie erst zur Hand nimmt, wenn er mit der eigenen Lösung fertig ist und nun vergleicht und prüft. Es ist aber zehn gegen eins zu wetten, daß er die Eselsbrücke beschreitet, sobald er auf ernste Schwierigkeiten stößt. Wer das Schwimmen lernen will, muß selbst frisch ins Wasser gehen und darf sich nicht darauf beschränken anderen beim Schwimmen zuzusehen.

Zu Anfang der Praxis verfällt man auch leicht in den Fehler, daß man Aufgaben, die für die vorgeschriebenen Kurse zu bewältigen sind, lang und breit mit Kollegen oder gar mit älteren Juristen bespricht, sich das Schrifttum von anderen nachweisen läßt und fremde Meinungen über schwierige Fragen einholt. Dieses Verfahren untergräbt allzuleicht die Selbständigkeit und das Gefühl der Selbstverantwortlichkeit; es schwächt den Mut zur Entscheidung und führt zu einer Täuschung über das eigene Können und Wissen. Man mache sich nichts daraus, wenn die ersten Arbeiten mißglücken; sie sollen ja zur Übung, nicht zur Darlegung der Fähigkeiten dienen. Natürlich soll nicht jedes Zusammenarbeiten verpönt werden. Hat man einmal eine eigene Meinung gefaßt, so kann es ersprießlich sein sie im Streite zu verfechten. Dadurch wird die gewonnene Erkenntnis vertieft.

Die Auswahl passender Aufgaben wird in der Regel nicht schwer fallen. Die meiste Beachtung verdienen die im Buchhandel erschienenen Aufgaben früherer Prüfungsjahre; sie sind wenigstens für die späteren Jahre anderen Sammlungen oder eigens konstruierten Fällen vorzuziehen, weil sie die Anforderungen der Prüfung und Form und Ausdehnung der einzelnen Aufgaben am besten ersehen lassen. Man ziehe für die eigene Bearbeitung verschiedene Prüfungsjahre heran und beschränke sich nicht auf die letzten

Jahrgänge. Die Lösung der sogenannten „praktischen Fälle" nimmt zwar viel Zeit in Anspruch, darf aber nicht ganz unterlassen werden, will man nicht in der Prüfung angesichts ihrer Länge und Schwierigkeit den Mut und die ruhige Überlegung verlieren. Mindestens zwei praktische Fälle sowohl aus dem Gebiete der Justiz als aus dem der inneren Verwaltung sollte jeder Referendar durchgearbeitet haben.

§ 8. Ausbildung des Stils und der Darstellungsgabe.[1])

Einer der größten Mängel der Ausbildung, die der junge Jurist von der Universität mitbringt, ist die geringe Gewandtheit im schriftlichen Ausdruck. Freilich ist dieser Mangel leicht zu erklären und der einzelne kann für ihn wohl kaum zur Verantwortung gezogen werden. Die geringe Übung im gewandten Gebrauche der Sprache, die man auf der Mittelschule erworben hat, geht während der Universitätszeit fast ganz wieder verloren, weil hier das Aufnehmen der Vorträge und das Durchlesen von Büchern im Vordergrunde steht und die schriftlichen Arbeiten ganz zurücktreten. Wenn dann der Jurist den Vorbereitungsdienst antritt, stürmen so viele neue Eindrücke auf ihn ein, daß er wenig Muße findet, das Versäumte nachzuholen. Und die Schriftsprache der Behörden liefert ihm keine guten Muster; im Gegenteil, er gewöhnt sich an ihre entsetzlichen Unarten und verliert den letzten Rest von Sprachgefühl und Darstellungskunst. Ein sehr empfindlicher Nachteil! Ich kann die Meinung derer nicht teilen, die glauben, man überschätze heutzutage die Bedeutung der Form. Inhalt und Form lassen sich vielleicht nirgends so schwer trennen als in der Rechtswissenschaft. Der Jurist, mag er sich theoretisch oder prak-

[1]) s. von der Pfordten, „Der dienstliche Verkehr und die Amtssprache", 5. Auflage, München 1921 J. Schweitzer Verlag. RM. 2.–.

tisch beschäftigen, hat es mit fein ausgebildeten Begriffen, mit scharfsinnigen Unterscheidungen zu tun; er muß sich in abstrakten Gedankengängen ergehen, weit ausholende Beweisführungen liefern, zusammengesetzte Tatbestände zergliedern und auseinanderlegen. Es ist unendlich wichtig, daß er den richtigen Ausdruck finden lernt. Ungeschickte Darstellung und innere Unklarheit gehen in der Regel Hand in Hand; wird die Form vernachlässigt, so bleiben die Gedanken halb in der Feder stecken oder sie kommen undeutlich und ungeordnet heraus, das Gebäude wird schief und wacklig. Ein großer Teil der Mißerfolge in der Staatsprüfung ist zweifellos darauf zurückzuführen, daß die Bewerber sich nicht an eine klare und saubere Schreibweise gewöhnt haben. Sie mögen recht schöne Kenntnisse und auch eine gesunde Urteilskraft besitzen, aber die Fähigkeit zu gestalten, fehlt, weil sie nicht geübt wurde.

Nur durch strenge Selbstüberwachung und stetige Übung kann dieser Mangel gehoben werden. Zunächst muß man lernen oder wieder lernen richtig Deutsch zu schreiben. Es klingt beinahe lächerlich, wenn man das fordert; aber daß es nicht überflüssig ist, zeigen uns die grauenvollen Mißhandlungen, die sich die deutsche Sprache von allen Behörden, angefangen von der ländlichen Gemeindeverwaltung bis hinauf zum Reichsgerichte, wie nicht minder von manchem gelehrten Professor gefallen lassen muß. Es ist hier nicht der Ort allen ihren Fehlern nachzugehen. Wer einmal mit ein wenig Aufmerksamkeit zugesehen hat, kennt sie ja zur Genüge: die umständliche Breite, die überflüssigen pedantischen Beiwörter, die schwulstigen Umschreibungen, die sinnlosen und geschmacklosen Neubildungen, die unendlichen Bandwürmer und Schachtelsätze. Wir besitzen eine Reihe verdienstvoller Bücher, in denen diese Fehler gerügt sind und gelehrt wird, wie man sie vermeiden kann. Es ist für den Referendar so wenig wie für den hohen Beamten eine Schande, wenn er sich bei ihnen Rat erholt über Dinge, die er freilich schon in der Schule hätte lernen sollen, aber ohne sein Verschulden dort eben nicht gelernt hat. Die Erkenntnis der Sprachfehler genügt freilich noch nicht, man muß sich auch an eine lebhafte, frische und klare Schreibweise gewöhnen. Der an sich schon trockene und nüchterne Rechtsstoff nimmt sich in einer langweiligen Form ganz besonders schlecht aus, man muß deshalb in der Wahl der Redewendungen und im Bau der Sätze Abwechslung und Anschaulichkeit bieten. Man kann an Jherings Werken, an Dernburgs Pandekten und an Seydels lebendig geschriebenen Büchern, wohl auch an Liszts Strafrechtslehrbuch Vorbilder dafür nehmen, zu welcher Schönheit die juristische Schreibweise emporgehoben werden kann. Läßt sich im einzelnen Falle aus einem besonders farblosen Stoffe beim besten Willen nichts Erfreuliches herausholen, so kann doch durch gedrängte und kurze Sprache und durch einfache Anordnung eine wuchtige Beweisführung und eine Schärfe des Gedankengangs erzielt werden, die eben wegen ihrer Schlichtheit stets Eindruck machen wird.

Aber auch die stilistische Gewandtheit ist noch nicht ausreichend, noch wichtiger ist es für den Juristen, daß er ein größeres Gedankengefüge folgerichtig und kunstvoll aufzubauen lernt. Wir sehen leider häufig genug an den Urteilen und Beschlüssen höherer und mittlerer Gerichte, daß diese Fähigkeit nicht gar so leicht zu erlangen ist. Ermüdende Wiederholungen, weitschweifige Ausführungen über nebensächliche Punkte, dazwischen wieder Gedankensprünge und Fehlen überleitender Reihen, solche Mängel trifft man immer und immer wieder an, und auch da, wo uns eine saubere Disposition durch die geordnete Gliederung des Stoffes erfreut, machen sich zuweilen ungenügende Scheidung des Wesentlichen und des Unwesentlichen und allzu ängstliches Eingehen auf Nebengedanken störend bemerkbar.

Jedes Urteil sollte ein kleines Kunstwerk sein: kein Wort zu wenig aber auch kein Wort zu viel und jedes Wort am rechten Platz! Auch für die ideale Lösung einer Aufgabe in der Staatsprüfung gelten die gleichen Forderungen. Es mag sein, daß dieses Ziel unter den gegebenen Verhältnissen fast niemals erreicht wird — in der Staatsprüfung muß mit der beschränkten Arbeitszeit und mit der inneren Schwierigkeit der Aufgaben gerechnet werden — aber man sollte sich ihm doch soweit als möglich nähern. Mit einigem guten Willen wird man weit genug kommen, zumal da die Praxis und die Kurse gerade zu formalen Übungen reichliche Gelegenheit bieten. Nur muß man sich davor hüten in „der Gewohnheit trägem Geleise" fröhlich dahinzuwandeln oder in gesättigter Selbstzufriedenheit sich stets mit dem ersten einigermaßen geglückten Entwurfe zu begnügen. Nur wenigen ist die außerordentliche Gabe beschieden, daß sie aus dem Stegreife Vollendetes niederschreiben können. Der Durchschnittsmensch muß an seiner Arbeit feilen, er muß nicht nur einmal, sondern zweimal und dreimal prüfen, ob alles richtig ineinandergreift, ob seine Darlegungen auch einem andern verständlich sind, ob auf dem Wege vom Kopfe zum Papier nichts verloren gegangen ist. Der Lohn der Mühe wird auch nicht ausbleiben: man wird bald bemerken, um wie viel tiefer man auch in die Sache selbst eindringt, wie viele Irrtümer man noch rechtzeitig entdeckt.

Zur Bildung des Stiles und der Darstellungsgabe wird auch die Pflege guter geschichtlicher, philosophischer und Unterhaltungs-Lektüre viel beitragen. Man braucht nicht zu fürchten, daß man damit dem Studium zu viel Zeit entziehe. Wenn eine Beschäftigung die Beweglichkeit des Geistes und die Freiheit des Denkens fördert, so ist die darauf verwendete Zeit niemals vergeudet. Es ist ein Zeichen von kleinlicher Lebensauffassung, wenn der Gedanke an eine bevorstehende Prüfung alle Betätigung des menschlichen Lebens auf den nicht zum Fache gehörenden Gebieten unterbindet, und die Anhänger einer solchen Auffassung werden vielleicht Gutes, nie aber Hervorragendes erreichen, jedenfalls aber im späteren Leben ihre Engherzigkeit zu büßen haben.

§ 9. Annahme bezahlter Stellen. Schriftstellerische Beschäftigung.

Ist es ratsam vor der Staatsprüfung eine bezahlte Stelle beim Anwalt oder bei einem Stadtrat oder dergleichen anzunehmen? Leider zwingt die heutige wirtschaftliche Not so manchen Rechtsbeflissenen schon auf der Universität — Werkstudent! — und auch im Vorbereitungsdienste sich die Mittel zum Lebensunterhalte durch bezahlte geistige oder sogar körperliche Arbeit zu verdienen. Ich möchte jedoch für die Regel jedem davon abraten, der nicht durch die Macht der Verhältnisse gezwungen ist einen Erwerb zu suchen. Daß gerade der Dienst beim Anwalt einen nicht zu unterschätzenden Bildungswert hat, wurde schon früher ausgeführt, auch mag es vorkommen, daß die starke Anspannung, die die Verbindung einer ausgedehnten praktischen Tätigkeit und einer regsamen wissenschaftlichen Fortbildung mit sich bringt, die Kräfte stählt und die Selbständigkeit so erhöht, daß in der Prüfung vorzügliche Erfolge erreicht werden. Beispiele dafür wird man immer finden, nur beweisen sie nicht viel. Denn es gibt eben Leute, die wegen ihrer außergewöhnlichen juristischen Begabung, ihrer unermüdlichen Arbeitskraft und ihrer Nervenstärke unter allen Umständen Ausgezeichnetes leisten, so daß sie sich manches erlauben können, was anderen versagt bleiben muß. In der Mehrzahl der Fälle wird die Sache weniger günstig verlaufen.

Der bezahlte Arbeiter muß nehmen, was ihm geboten wird. Er darf sich nicht beklagen, wenn er von einem Sitzungssaale zum anderen gehetzt wird um Vertagungen und Versäumnisurteile zu erwirken, wenn er langgedehnten Zeugenvernehmungen beiwohnen oder zu einem Augenscheinstermin nach einem entlegenen Dorfe reisen und seine gute Zeit vertrödeln muß. Nicht jeder hat auch die Kraft nach angestrengter Arbeit im Bureau und nach ermüdender Tätigkeit vor Gericht abends noch die Lücken seines Wissens durch Studium auszufüllen oder an die Lösung einer schwierigen Kursaufgabe ernstlich heranzugehen. Ein anderer, der sich den Entschluß dazu mit eiserner Willenskraft abringt und seine Nächte opfert, wird nervös und überreizt. Wieder ein anderer erreicht durch längere Beschäftigung in einer gediegenen Anwaltskanzlei die höchste Gewandtheit im bürgerlichen Rechte, läßt aber alle andern Fächer brach liegen; dadurch erklärt sich die gar nicht seltene Erscheinung, daß ein Bewerber im ersten Teile der Prüfung lauter gute Noten davonträgt, daß aber dann eine Reihe von Fehlschlägen im zweiten Teile das Gesamtergebnis heillos verpfuscht. Alles in allem: wer glaubt, daß er wegen seiner persönlichen Verhältnisse oder wegen seiner besonderen Neigung für den Anwaltsberuf nicht früh genug eine Konzipientenstelle annehmen könne, der tue, was er nicht lassen kann, aber er verhehle sich nicht, daß er damit eine nicht ungefährliche Bahn beschreitet.

Größten Wert für die Steigerung der Kräfte kann die schriftstellerische Tätigkeit haben, zumal dann, wenn die gewählte Aufgabe dem Stande der Kenntnisse und der Ausbildung angemessen ist. Ja es mag auch mitunter gar nichts schaden, wenn man eine zu schwere Last aufzuheben versucht hat; an den Irrtümern und Mißgriffen lernt man bekanntlich am allermeisten. Bedenklich wird die Schriftstellerei jedoch dann, wenn nicht eine innere Notwendigkeit, nicht der Drang nach nützlicher Betätigung die Feder in die Hand drückt, sondern die Eitelkeit, die Sucht sich hervorzutun, das bewußte Strebertum. Auch ist es wohl nicht unangebracht, wenn man vor einem Übermaße warnt, das zur Einseitigkeit und zur Zersplitterung führen kann.

Auch über den Nutzen von Doktor- und Preisarbeiten kann man seine eigenen Ansichten haben. Ich gestehe, daß ich ihn nicht sehr hoch einschätze. Nur hie und da trifft man einen weißen Raben, d. h. eine Schrift, die sich durch wissenschaftliche Selbständigkeit und originelle Auffassung auszeichnet, die wirklich einen Stein zum Gebäude der Wissenschaft liefert. Neun Zehntel — ich rechne sehr günstig — sind saft- und kraftlose Zusammenstellungen. Es wird alles herbeigeschleppt, was in Schrifttum und Rechtsprechung zu finden ist, und der Verfasser schließt sich hier diesem dort jenem Autor an. Oder er verfolgt einen Gegenstand durch die Gesetzgebung der Jahrhunderte vom König Ramses II. an bis auf das Bürgerliche Gesetzbuch. Andere wieder versteigen sich in die Höhen einer leblosen Abstraktion und liefern damit Wasser auf die Mühle einer ungebändigten Freirechtslehre, die den „wissenschaftlichen Betrieb" am liebsten mit Stumpf und Stiel ausrotten möchte. Dazu kommt noch, daß nicht selten ganz entlegene Einzelfragen behandelt werden. Ich will mit diesen Ausführungen keinem unserer doctores iuris zu nahe treten und niemandem die Freude an seinen akademischen Würden verderben. Aber es wäre unrecht, wenn man verschweigen wollte, daß die Erfolge vor einer hohen Fakultät oft mit einer Einbuße an praktischer Fortbildung teuer erkauft sind und daß niemand für die Staatsprüfung deswegen genügend gewappnet ist, weil er sich einmal mit der rechtlichen Natur der Duldungsklage oder mit dem Umfange der Haftung des Auftraggebers eingehend befaßt hat.

§ 10. Die letzten Wochen vor der Prüfung.

Die letzten Wochen vor dem Beginne der Prüfung — sie können rechtzeitig berechnet werden, da der Beginn der nunmehr im Frühjahr stattfindenden Staatsprüfung geraume Zeit vorher amtlich bekanntgegeben wird — gehören nicht zu den angenehmsten, die der Referendar zu durchleben hat. Die jahrelang als Schreckgespenst drohende Staatsprüfung ist nun in greifbare Nähe gerückt, ein Gefühl der Unsicherheit und des Mißtrauens in die eigene Kraft beginnt sich bemerklich zu machen; der Gedanke an das erstrebte Ziel ist so eingenistet, daß er alle Lebensregungen beherrscht und kaum mehr auf Augenblicke verdrängt werden kann. Trifft man in jener Zeit zwei oder mehrere Referendare beisammen, so darf man überzeugt sein, daß ihre Gespräche nur einen Gegenstand erörtern, die Prüfung. Da werden die Aussichten für und wider erwogen, werden haltlose Vermutungen über die zu erwartenden Aufgaben ausgetauscht, frühere Fälle von Leuten besprochen, die wider Erwarten gut oder schlecht abgeschnitten haben. Durch solche Gespräche bohrt man sich immer tiefer in das nervöse, ängstliche Gefühl der Erwartung hinein und ältere Kollegen tragen oft genug in der unvernünftigsten Weise dazu bei, diese Beklemmung noch zu steigern, indem sie die Schwierigkeit der Prüfung ins Maßlose und Ungeheuerliche übertreiben, um das eigene Verdienst ins grellste Licht zu setzen oder das Nichtgelingen zu beschönigen. Setzt man nun auch noch das Studium und die Übung in der Anfertigung von Aufgaben bis in die letzten Tage hinein fort, so ist in der Regel die Folge, daß die Nerven dem gewaltigen Anprall nicht mehr gewachsen sind, den sie bei der Prüfung auszuhalten haben.

Die letzten drei bis vier Wochen vor der Prüfung müssen der Erholung gewidmet werden, soweit man sie nicht auf das Sammeln der Hilfsmittel oder andere mehr technische Verrichtungen verwendet. Es ist ein verhängnisvoller Irrtum, wenn man die Ergebnisse einer siebenjährigen Ausbildung noch in letzter Stunde wesentlich verbessern zu können meint. Bei der Staatsprüfung geht es nicht zu wie bei einer Schulaufgabe aus der Mathematik, vor der man zwischen 7 Uhr und 8 Uhr morgens einige Lehrsätze und Formeln einpauken kann. Mit den krampfhaften Versuchen rasch noch etwas nachzuholen wird man nicht weit kommen. Viel wertvoller ist es dafür zu sorgen, daß der Kopf klar wird, das Gemüt heiter und frisch bleibt, die Nerven zu einer kräftigen Anspannung fähig werden, das Selbstvertrauen und eine gewisse Gleichgültigkeit sich einstellen. Ein wenig Sport, weite Spaziergänge, harmlose Lektüre und freundliche Geselligkeit — aber beileibe nicht die angsterfüllter Leidensgenossen — sind die besten Mittel, um sich leistungsfähig zu erhalten. Die juristischen Bücher sehe man in dieser Zeit nur von außen an, fliehe aber vor allem den Anblick von Prüfungsaufgaben.

Hier möge ein kurzes Wort über die Erholung während der Praxis eingeschaltet sein. Den Urlaub, auf den der Referendar nach § 25 der VO. vom 1. April 1925 Anspruch hat, soll er auch einbringen, wenn anders er seine Vorbereitungszeit gewissenhaft ausnützt. Durch die geistige Ausspannung wird er frische Kräfte zu neuer ersprießlicher Arbeit sammeln und sich dagegen schützen, daß das Nervenkapital gegen den Schluß des Vorbereitungsdienstes eine untragbare Einbuße erleidet.

§ 11. Das Verhalten während der Prüfung.

Darüber, wie man sich während der Prüfung verhalten, wie man insbesondere die einzelnen Aufgaben anpacken soll, kann man natürlich nur schwer allgemeine Regeln aufstellen. Einige Anleitungen werden aber doch erwünscht sein.

Zunächst muß man die Tatbestände der Aufgaben mit größter Aufmerksamkeit durchlesen; man darf keine Bemerkung übersehen, die für den Ausfall der Entscheidung von Belang sein kann. Ratsam ist es schon während des Lesens einige Bemerkungen neben den Text zu schreiben, so z. B. dann, wenn allgemein bekannte gesetzliche Vorschriften berührt werden, die sofort zur Hand sind, oder wenn man, wie in den praktischen Fällen, Ausführungen von Anwälten und Parteien findet, deren offensichtliche Unrichtigkeit sofort in die Augen fällt.

Sodann muß man durch scharfes Nachdenken darüber Klarheit gewinnen, auf welche Fragen es ankommt und was zu beantworten ist. Immer wieder trifft man den merkwürdigen Fehler, daß Dinge behandelt und Fragen hereingezogen werden, die mit der Aufgabe zwar in einem gewissen Zusammenhange stehen, für ihre Lösung aber belanglos sind. Wer darin fehlt, muß nicht nur den Vorwurf ungenügenden Nachdenkens gewärtigen, sondern versäumt auch kostbare Zeit. Nicht immer entspringt ein solches Abschweifen einem Mangel an Logik und Aufmerksamkeit, es kann auch durch übertriebene Ängstlichkeit verursacht sein. Manchem spielt auch sein allzu großer Eifer einen bösen Streich: er will seine Kenntnisse um jeden Preis an den Mann bringen und schreibt alles hin, was ihm gerade einfällt. Natürlich kommt er dann in den Verdacht, daß er den Zweck der Aufgabe verkannt habe.

Man sollte stets e i n e bestimmte und unzweideutige Lösung geben, auch wenn für die Antwort nicht die Form eines Beschlusses oder eines Urteils vorgeschrieben ist. Werden in Schrifttum oder Rechtsprechung abweichende Auffassungen vertreten, so soll man sich dadurch nicht verleiten lassen die Frage doppelt oder mehrfach zu beantworten, indem man die Folgen der entgegenstehenden Anschauungen gesondert entwickelt. Es wird in der Regel in solchen Fällen nichts übrig bleiben als sich e i n e r Anschauung anzuschließen und sie folgerichtig durchzuführen. Die gegenteiligen Meinungen kann man unter kurzer Widerlegung in der Form von Anmerkungen u. dgl. erwähnen, wenn die Zeit reicht.

Es empfiehlt sich die Antwort auf die Fragen entweder an den Beginn der Bearbeitung zu stellen und dann wie bei einem Urteile die Gründe anzufügen oder zunächst in die rechtliche Untersuchung einzutreten und das Ergebnis am Schlusse gesondert in wenigen Sätzen vorzutragen. Man sollte es nicht der Zensurkommission überlassen die Antwort aus den Rechtsausführungen erst herauszusuchen; es wird sonst leicht der Eindruck einer Unsicherheit des Verfassers hervorgerufen, auch Mißverständnisse wären nicht ausgeschlossen. In der Begründung ist jede überflüssige Verweisung auf den Tatbestand zu unterlassen.

In der Regel wird man sich sehr knapp fassen und alles nebensächliche Beiwerk beiseite lassen müssen. Denn für den Erfolg der Prüfung ist es von ausschlaggebender Bedeutung, daß man mit jeder Aufgabe vollständig fertig wird. Es ist gefährlich, wenn man sehr breit und ausführlich beginnt und schließlich nicht zum Ende kommt oder die letzten Teile eilfertig hinsudeln muß. Ein Torso wird zumeist vor den Augen des Zensors wenig Gnade finden, auch wenn er noch so schön ist, und auch die Arbeiten machen keinen günstigen Eindruck, die zu Anfang tiefe und schwere Gelehrsamkeit entfalten, um dann immer magerer zu werden und endlich mit einigen hingeworfenen Sätzen zu schließen. Eine knappe, aber gleichmäßig und folgerichtig durchgeführte Skizze, die alles Notwendige enthält, wird zumeist größeren Beifall finden.

Sind mehrere Unteraufgaben zu lösen, die keine innere Verbindung haben, so wird man gut tun mit der Aufgabe anzufangen, die nach dem ersten Eindruck leichter und einfacher ist. Bei der Aufgabe, die man einmal in Angriff genommen hat, muß man dann bleiben, auch wenn man bemerkt, daß man sich getäuscht hat. Nichts wäre gefährlicher, als wenn man in der Mitte abbrechen und mit einer anderen Aufgabe beginnen wollte. Man wird dann wahrscheinlich gar keine ordentlich lösen und das Hin- und Herschwanken wird Nervosität erzeugen.

Ratsam ist es mit Zitaten sparsam zu sein. Daß es nicht vorteilhaft ist, Ausführungen aus Hilfsmitteln wörtlich oder nahezu wörtlich zu entnehmen, ergibt sich deutlich genug aus der Vorschrift im § 114 Abs. III der Bekanntmachung vom 1. April 1925. Mancher fehlt aber auch darin, daß er einen Kommentar anführt, wo sich die Antwort aus dem Gesetzestext allein mit aller Sicherheit ergibt, oder daß er ganz selbstverständliche und allgemein bekannte Rechtsregeln mit unnötigen Verweisungen stützt.

Daß jemand den Versuch machen sollte an Rasttagen die Bücher vorzunehmen und zu büffeln, wird wohl kaum vorkommen. Dagegen ist es vielfach üblich außerhalb des Prüfungssaales die Tagesergebnisse zu besprechen und in langwierige, unfruchtbare Verhandlungen über die richtige Lösung einzutreten. Recht viel kommt dabei meistens nicht heraus, höchstens eine niederdrückende Angst vor einem Mißerfolg, die vielleicht ganz unbegründet ist. Besser als die „Leichenreden" sind gesellige Unterhaltungen und Zerstreuungen, die den Geist regsam und frisch erhalten. Daß es aber unzweckmäßig ist, die Sorgen durch reichliche Alkoholzufuhr zu ertränken, wird man wohl auch nicht besonders betonen müssen.

FSC
www.fsc.org
MIX
Papier | Fördert gute Waldnutzung
FSC® C083411

Kolibri 360 GmbH
Ferdinand-Jühlke-Straße 7
99095 Erfurt, Deutschland
produktsicherheit@kolibri360.de